LINA SCHMELZ

DIE NEUGIERIGEN ENTLEIN

D1529874

Alle Rechte vorbehalten

MALEK
VERLAG

Kickeriki, ist schon in der Früh, aufwachen all, ihr Entlein im Stall! Grünschnäbelchen, Gelbschnäbelchen und Weißschnäbelchen, die drei kleinen Entenkinder gucken noch recht verschlafen drein, wenn der Gockelhahn sie aufweckt. Am
liebsten möchten sie diesem lauten Schreihals mit ihren Schnäbelchen tüchtig in
den Schwanz zwicken, vielleicht schreit er dann „auweh" statt kickeriki. Jeden

Morgen dieses laute Kickeriki, wo sie doch noch so gerne länger schlafen möchten, das Köpfchen unters Flügelchen gesteckt, und an Mutters Federkleid gekuschelt, läßt sich's so herrlich träumen. Grad heute Nacht hat jedes von ihnen so wunderschön geträumt, was sie sich beim gemeinsamen Frühstück erzählen. Sie haben alle drei von einer schönen, weiten Wanderung geträumt. Da draußen in der großen Welt waren sie herumspaziert, dort außerhalb dieses verwünschten Zaunes, der ihren Auslauf schützend umgibt und durch den sie nur sehnsüchtig hinausspähen können, in die große weite Welt. Sooft haben sie schon versucht, hindurchzuschlüpfen, aber der verflixte Zaun hat zu kleine Löcher, in denen sie immer wieder stecken bleiben. Außerdem ist da noch ihre besorgte Entenmutter, die mit ihrem lauten Schnatteridi, Schnatterida und lautem Flügelschlagen ihre Entenkinder zusammentreibt, wenn sie sich zu weit von ihr entfernen. So bleibt ihnen nichts anderes übrig, als im kleinen Entenhof hinter ihrer Mutter einherzuwackeln, vom Futtertrog hin zum kleinen Teich, in dem sie dann lustig plantschen dürfen. Obwohl es so schön ruhig und friedlich zugeht auf ihrem Entenhof, wird es ihnen mit der Zeit doch stinklangweilig. Und weil sie heute Nacht so schön geträumt haben von den großen Wundern und Erlebnissen da draußen in der weiten Welt, beschließen sie, sich bei passender Gelegenheit davonzuschleichen, denn sie sind eben drei quicklebendige, neugierige Entenkinder. Ja, sie wollen zu gerne wissen, was es außerhalb des Zaunes für interessante Sachen zu sehen gibt. Und Grünschnäbelchen, das Neugierigste unter den drei Entenkindern, singt leise vor sich hin: „Schnatter di bum, die Neugier geht um, mir ist schon ganz heiß, weil ich nicht alles weiß.“
Aber wie sollen sie es anstellen, um fortzukommen, wo im Zaun doch kein größeres Loch ist, durch das sie schlüpfen können. Da kommt ihnen am nächsten Tag der Zufall zu Hilfe. Kathrinchen, die ihnen jeden Morgen Futter bringt, und frisches Wasser, bevor sie in die Schule geht, hat nicht schnell genug das Gatter zugemacht, und schon sind schwups — Grünschnäbelchen, Gelbschnäbelchen und Weißschnäbelchen davongestürmt. Über die steile Böschung hinter dem Zaun sind sie nacheinander hinuntergepurzelt, so eilig haben sie es, von daheim fortzukommen. Dann laufen sie über eine Straße, dabei hätte ein Auto fast Weißschnäbelchen überfahren, weil es das kleinste Entlein ist und nicht so schnell laufen kann, wie die anderen. Aber sie kommen zum Glück alle unversehrt auf der drüberen Straßenseite an, und müssen erst einmal ein Weilchen verschnaufen. Das schnelle Laufen hat sie schon sehr angestrengt, denn bisher sind sie ja immer nur schön gemütlich im kleinen Entenhof herumspaziert. Da hören sie auf einmal das laute Geschnatter und Geschrei ihrer Entenmutter, die ihre Kinderlein inzwischen überall gesucht hat und nicht finden konnte. Ja, sie haben in ihrem kindlichen Leichtsinn nicht an Mutters Kummer gedacht, welchen sie ihr bereitet haben,

indem sie von zu Hause ausgerissen sind. Jetzt, wo sie ihre Mutter jammern hören, wird ihnen ganz bange ums Herz und Gelbschnäbelchen fängt an zu weinen, und will wieder zurück nach Hause. Aber Grünschnäbelchen, das neugierigste Entlein, überredet die beiden, doch weiter zu wandern, sie werden bestimmt viel Interessantes erleben. So laufen sie auch weiter, und kommen bald zu einem großen Kleeacker, wo sie sich schnell unter das schützende Kleeblätterdach ducken, damit niemand sie finden kann. Wie ist es hier so angenehm kühl zwischen den grünen Blättern und Halmen, und so würzig duften diese, sodaß unsere Entlein Lust bekommen, einige dieser frischen, saftigen Kleeblätter zu verspeisen, und weil sie ihnen so gut schmecken, essen sie soviel davon, bis sie richtig satt sind. Denn auf der kleinen Wanderung hierher sind sie schon richtig hungrig und durstig geworden. Nun ist ihnen wieder richtig wohl zumute, und weil sie schon etwas müde sind, schlafen sie nach der köstlichen Mahlzeit ein. Nach kurzer Zeit aber schreckt Grünschnäbelchen aus dem Schlaf auf. Das kleine Erdhügelchen, auf dem es eben noch so gut geschlafen hat, fängt plötzlich an, sich zu bewegen. Neugierig, wie Grünschnäbelchen nun einmal ist, scharrt es mit seinen breiten Entenfüßchen die Erde auseinander, um zu sehen, welch ein Bösewicht hier wohl drunter steckt. Aber noch ehe Grünschnäbelchen flüchten kann, wird es mit Erde überschüttet und ein kleiner, schwarzer Geselle beißt es kräftig ins Füßchen, sodaß Grünschnäbelchen zu jammern anfängt. Schnatter di bum — die Neugier geht um, hab schon entdeckt, was drinnen steckt, unter dem Klee — Füßchen tut weh.

Der kleine schwarze Geselle aber, der heimtückische Maulwurf, hält sich vor lauter Lachen den Bauch, wie er nun die drei erschrockenen Entlein aus dem Kleeacker flüchten sieht, die nicht so schnell laufen können, weil ihnen die vielen Kleehalme im Wege sind. Aber endlich haben sie doch aus dem struppigen Klee herausgefunden, und sind nun auf jenem Stück Acker angekommen, wo die Kleehalme alle fein säuberlich abgemäht sind, und sie weit um sich blicken können. Was stehen denn da für komische dreieckige Häuschen, und alle sind sie mit Klee zugedeckt, dessen ausgetrocknete Blätter und Halme recht traurig an ihnen herabhängen? Ja, hier haben die Bauern auf langen Stangen den Klee zum Trocknen aufgehängt, damit sie im Winter ein Futter haben für ihre Tiere. Ob man in so ein Häuschen wohl auch hineingehen kann, überlegen nun die drei Entlein, wie zu Hause in ihren Entenstall? Aber so oft sie auch drum herumlaufen, können sie doch kein Türchen entdecken, durch das sie hineinspazieren könnten. So hocken sie still verdrossen auf dem Boden und überlegen, wie sie es anstellen sollen, um da hinein zu kommen. Denn inzwischen plagt sie ja schon wieder die Neugier, und sie wollen unbedingt sehen, was in diesen sonderbaren Häuschen da drinnen versteckt ist. Plötzlich stößt Gelbschnäbelchen einen Freudenschrei

aus, als es nämlich sein Köpfchen unters Flügelchen stecken will, um es vor der heißen Sonne zu schützen, hat es entdeckt, daß man ganz unten, zwischen dem Klee, in das Häuschen hineinschlüpfen kann, und schwups sind unsere neugierigen Entlein im Kleehäuschen verschwunden. Aber, o Schreck, da drinnen haben sie eine Mäusefamilie aus dem Schlaf aufgescheucht, und die verdutzten Mäuslein springen nun aufgeregt hin und her. Ein kleines, besonders flinkes Mäuslein ist an den Kleehalmen hinaufgekraxelt und dann auf Weißschnäbelchens Rücken herabgepurzelt und unter das rechte Flügelchen gerutscht. Wenn Weißschnäbelchen nicht so aufgeregt mit den Flügeln zu schlagen angefangen hätte, wäre das Mäuslein dort in der Mausefalle gesessen. So aber kann es schnell davonhuschen, obwohl alle drei Entlein nach seinem Schwänzchen schnappen. Die kleinen Mäuslein aber, die alle eiligst aus dem Kleehäuschen geflüchtet sind, haben die drei Entlein auf eine gute Idee gebracht. Hier kann man doch so herrlich fangen spielen, unten hinausschlüpfen aus dem Häuschen, drum herumlaufen, beim nächsten wieder hinein und so geht es bei dieser Hetzjagd, die unsere Entlein nun begonnen haben, recht lustig zu.

Aber nicht recht lange dauert dieses fröhliche Spiel, denn die übermütigen Entlein sind gar zu stürmisch in ein Häuschen hinein und wieder herausgelaufen, sodaß dieses kleine Kleehäuschen plötzlich umgefallen ist, und beinahe die drei Entlein unter sich begraben hätte. So blicken sie jetzt ganz erschrocken drein und flüstern sich ängstlich zu:

Schnatter di bum — s'Häuschen fällt um, mir armem Tropf — gleich auf den Kopf. Wie konnten auch unsere munteren Entlein ahnen, wie gefährlich manches Spiel werden kann, wenn man gar zu stürmisch und zu waghalsig ist, wo doch bisher immer ihre Mutter all ihre Spiele im Entenhof so sorgsam überwacht hat. Jetzt sind sie aber alleine ausgezogen, um viel Neues zu entdecken und die Freiheit zu genießen. Daß dabei aber soviel böse Überraschungen auf sie zukommen, das konnten sie natürlich vorher nicht wissen, sonst wären sie bestimmt zu Hause geblieben. Jetzt aber nichts wie weg hier, von diesen wackeligen Kleehäuschen, die einem auf den Kopf fallen können. So setzen sie im gewohnten Entenmarsch, schön eins hinter dem anderen, auf einem schmalen, ausgetretenen Pfad ihre Wanderung fort. Wohin dieser kleine Weg sie nun führt, wissen sie natürlich vorher nicht, aber zu ihrer großen Überraschung kommen sie nun in einen wunderschönen großen Wald. Hier stehen so dicke, große Bäume, die so hoch sind, daß man fast nicht bis zu ihren Wipfeln hinauf spähen kann. Darunter aber wachsen so dichte Büsche und hohes Gras, die den drei Entlein fast den Weg versperren. Ganz verschwitzt und hungrig und durstig sind sie hier angekommen, und so beschlossen sie, erst einmal etwas auszuruhen, gleich dort unter dem ersten großen, schattigen Strauch, auf dem so schöne, rote Beeren hängen. Ob man diese wohl verspeisen kann? Versuchen kann man es ja einmal, und das neugierige Grünschnäbelchen ist natürlich die Erste, die so eine rote Beere vernaschen will. Aber oweh, schnell zieht es das Köpfchen wieder zurück, denn diese verflixten Dinger haben ja rundherum spitze Stacheln dran, mit denen sie das neugierige Entlein erbarmungslos ins Näschen gestochen haben. Nun sind sie etwas vorsichtiger, bevor sie ihre neugierigen Näschen in unbekannte Sachen hineinstecken und gehen in Zukunft dem verführerischen Hagebuttenstrauch aus dem Wege. Ganz in der Nähe entdecken sie dann einen herrlich weichen, dunkelgrünen Moosteppich, auf dem sie sich nun ausruhen, vor lauter Hunger und Durst aber nicht einschlafen können. Jetzt kommt ihnen plötzlich die Einsicht, daß sie sich schon selber ihr Futter suchen müssen, wenn sie nicht verhungern wollen, denn hier ist kein Kathrinchen, das ihnen Körnlein hinstreut und frisches Wasser bringt. So machen sie sich nach kurzer Rast auf die Suche nach etwas Eßbarem. Auf dem unebenen Waldboden watscheln sie nun dahin, über abgebrochene Äste und dürres Laub, sodaß es ganz lustig raschelt unter ihren patschigen Entenfüßlein. Da fällt auf einmal ein rundes Kügelchen von einem Baum herab vor ihre Füße auf den Boden, und schnell schnappt Weißschnäbelchen danach, in der Hoffnung, daß es etwas Gutes zum Essen sei. Aber dieses Kügelchen ist so hart, daß sie es unmöglich zerbeißen kann. Jetzt schauen sie alle drei auf den Baum hinauf und sehen hoch oben auf einem Ast ein kleines braunes Eichhörnchen sitzen mit seinem großen, buschigen Schwanz. Das hat wohl an dieser Haselnuß geknabbert und dabei ist sie ihm hinuntergefallen. Ja, für Eichhörnchen mit ihren spitzen Nagezähnen ist eine Haselnuß eine köstliche Mahlzeit, aber für kleine Entenkinder ist sie ungenießbar. Also haben sie wieder nichts zum Essen und müssen eben weitersuchen. Traurig lassen sie das Köpfchen hängen und stapfen ganz verdrossen dahin, bis plötzlich ihre Aufmerksamkeit geweckt wird. Da stehen doch wirklich mehrere kleine und größere Schwammerln mit ihren verschiedenfarbigen Käppchen, sodaß diese aussehen wie kleine, bunte Regenschirmchen. Unsere neugierigen Entlein beschnuppern erst einmal gründlich diese verlockenden Schwammerln und als sie feststellen, daß sie ganz gut riechen, beißen sie kräftig hinein. Aber wie ist es denn möglich, daß sie so bitter schmecken, wo sie doch so schön aussehen? Zum Glück haben sie schnell wieder alles ausgespuckt, sonst hätte die Schwammerlmahlzeit noch recht traurig geendet, denn es waren lauter giftige Schwammerln, die sie hier gefunden haben. Vielleicht stehen auch irgendwo eßbare Schwammerln, aber weil die kleinen Entlein sie nicht unterscheiden können, ist es auch besser, daß sie alle stehen lassen, und nach einer anderen Mahlzeit Ausschau halten. Nicht weit vom Schwammerlplatz entfernt, sind sie dann zu einer Stelle gekommen, wo kleine, zierliche Sträucher wachsen, mit ganz zarten Blättern, unter denen versteckt, kleine blaue Kügelchen hängen. Grünschnäbelchen ist als Erste bei den Heidelbeersträuchern angekommen und neugierig wie sie ist, muß sie gleich die Sträucher untersuchen. Aber rundherum, wohin sie auch blickt, hängen so viele blaue Beeren dran und sie weiß natürlich noch nicht, wozu diese gut sind. Hier sind zum Glück keine Stacheln an den Sträuchern und so kann es mühelos eine Beere abzupfen und mit dem Schnäbel-

chen zerdrücken, um diese zu verkosten. Gleich darauf stößt es einen Freudenschrei aus, weil diese blauen Beeren so süß und saftig schmecken, damit kann
man ja nicht nur seinen Hunger stillen, sondern auch den Durst. Voll Begeisterung
ruft es nun mit lautem Geschnatter und Flügelschlagen die beiden anderen Entlein zu sich heran, damit auch sie sich an den köstlichen Beeren sattessen können.

Mit großen Sprüngen kommt auch gleich darauf Gelbschnäbelchen herangeflattert und macht sich ebenfalls über die Beeren her. Aber wo ist denn Weißschnäbelchen geblieben? So laut auch beide nach ihm rufen, es kommt nicht zum Vorschein. Also müssen nun beide nach ihm suchen, es hat sich wahrscheinlich da drüben bei den Schwammerln irgendwo verlaufen. Ja, das kann im Wald zwischen den hohen Bäumen und Sträuchern leicht passieren. Schon bald aber haben sie den kleinen Ausreißer gefunden, nachdem sie es hinter einem dichten Gestrüpp rascheln hörten, in welchem sich Weißschnäbelchen mit seinen Flügelchen so derart verfangen hatte, daß es nicht mehr weiterkonnte. Schnell haben die Beiden ihr Geschwisterchen aus den verflochtenen Ästen und Zweigen befreit und nun laufen sie alle drei eiligst zurück zu den Heidelbeersträuchern. Jetzt aber schmatzen und schmausen sie mit so großem Appetit, daß ihnen der Saft von den Schnäbelchen tropft und bis sie fast alle Beeren aufgegessen haben. So tüchtig haben sie in den Sträuchern herumgewühlt, daß ihre Köpfchen und Füßchen vom Heidelbeersaft nun ganz blau sind. Wie sie sich jetzt gegenseitig betrachten, müssen sie herzhaft lachen, denn so lustig und farbenfroh haben sie bisher noch nie ausgesehen. Ja, aus Grünschnäbelchen, Gelbschnäbelchen und Weißschnäbelchen sind auf einmal drei Blauschnäbelchen geworden, die jetzt voll Übermut und aus lauter Freude, weil sie das Bäuchlein voll haben, so laut singen, daß es alle Tiere im Wald hören können: „Schnatter di bum ist doch zu dumm, schaut nur genau, wir sind jetzt ganz blau". Jetzt, nachdem sie so gut gespeist haben, überkommt sie eine große Müdigkeit, denn es ist recht schwül und dunstig unter dem großen Blätterdach hier drinnen im Wald, und so wollen sie sich erst einmal ein wenig ausruhn. Aber es ist ihnen keine lange Ruhepause gegönnt, denn plötzlich hat sie ein lautes Donnerrollen aufgeschreckt. Ein Gewitter kündigt sich an, vor dem sie sich immer sehr fürchten. Zu Hause sind sie halt immer schnell in den Entenstall geflüchtet und dort unter Mutters schützende Flügeln gekrochen, wenn es zu regnen anfing und recht laut donnerte. Aber hier im Wald ist weit und breit kein Häuschen zu sehen, und zitternd vor Aufregung und Angst laufen sie nun hin und her, um irgendwo einen Unterschlupf zu finden. Schon kommt ein heftiger Sturm dahergebraust, der an den Bäumen rüttelt und schüttelt, sodaß es jammervoll ächzt und kracht in ihren Zweigen, wenn diese heftig aufeinanderschlagen. Die drei kleinen Entlein, die nun noch ängstlicher geworden sind, weil sie dieses laute Geknackse hören, laufen jetzt noch schneller zwischen den Bäumen herum, bis sie unter einer großen Buche, die ihre Äste weit von sich streckt, einen kleinen Reisighaufen entdecken, unter den sie schlüpfen wollen. Nachdem sie unter dem Baum angelangt sind, hören sie über sich ein lautes, aufgeregtes Vogelgeschrei und Gezwitscher. Wie sie hinaufschauen, sehen sie auf einem langen Buchenast, zwischen den Zweigen versteckt, ein kleines

Vogelnest. Jetzt wissen sie auch, warum die jungen Vögelchen, die hier im Nest hocken, so laut schreien und aufgeregt mit den Flügeln herumschlagen. Der Sturm hat so stark an den Ästen gerüttelt und geschüttelt, daß das Vogelnest aus seinem alten Platz heruntergerutscht ist und jetzt ganz schief da oben hängt, als würde es gleich herunterfallen. Die jungen Vögelchen können nun keinen richtigen Halt mehr finden in ihrem Nestchen und haben so lange mit ihren Flügelchen herumgeschlagen, bis es dreien von ihnen gelungen ist, wegzufliegen. Ihre Vogelmutter hat ihnen zwar schon öfter Flugunterricht gegeben, aber sie sind bisher immer zu faul gewesen, um richtig mitzumachen. Jetzt aber, in ihrer Not, müssen sie schon all ihre Kräfte und ihren ganzen Mut zusammennehmen, um sich aus dieser gefährlichen Lage befreien zu können, und so ist ihnen zum Glück auch dieser erste Flugversuch gelungen. Das Kleinste und Schwächste unter ihnen hat aber noch nicht soviel Kraft zum Fliegen, es hält sich noch eine Weile krampfhaft am äußersten Rand des Nestes fest, und fällt dann vom Baum herunter, geradewegs auf die ausgebreiteten Flügel unserer drei Entlein, die es blitzschnell aufgefangen haben, als sie den ganzen Vorgang beobachteten. So ist das kleine Rotschwänzchen nun Gott sei Dank gerettet und kriecht jetzt schnell mit den drei Entlein unter den Reisighaufen, weil es inzwischen tüchtig zu regnen begonnen hat. Aber leider hat es auch hier durchgeregnet und nach einer Weile, als die Sonne wieder schien, sind alle vier patschnaß wieder hervorgekrochen, und die drei Entlein wollen wieder weiterwandern. Das kleine Rotschwänzchen aber wird von seiner Mutter freudig begrüßt, die schon überall nach ihren Kindern gesucht hat und jetzt schleunigst das einzige, das ihr noch geblieben ist, ins Nest zurückbringt, das sie inzwischen wieder auf seinem alten Platz befestigt hat. Jetzt müssen die drei neugierigen Entlein an ihre eigene Mutter denken, die bestimmt schon überall nach ihnen gesucht hat und sich sehr um sie sorgt. Sie müssen sich eingestehen, daß sie schon großes Heimweh haben nach ihrer Mutter, und wenn sie noch vor Einbruch der Dunkelheit zu Hause sein wollen, müssen sie sich bald auf den Heimweg machen. Aber das ist garnicht so einfach, wohin müssen sie denn gehn, um zu ihrem Bauernhaus zu kommen, in dem ihr Entenhof liegt?
Sie sind schon soviel kreuz und quer im Wald herumgeirrt, daß sie nicht mehr wissen, aus welcher Richtung sie gekommen sind. So schauen sie sich einmal gründlich nach allen Seiten um und sehen auf der einen Seite einen hellen Fleck durch den Wald schimmern, auf den sie nun zugehen. Auf dem Weg dahin ist Gelbschnäbelchen auf etwas Weiches getreten, und als es schnell das Füßchen hebt, sieht es, wie ein Regenwurm sich krümmt und langsam davonschleicht. Verwundert sieht das kleine Entlein ihm nach und denkt sich, was es doch für sonderbare Tiere gibt, und was diese wohl angestellt haben, daß sie auf dem Bauch kriechen

müssen? Aber nicht nur die Regenwürmer, auch die Schnecken hat der Regen aus ihren Häuschen gelockt, in denen sie wieder schnell verschwinden, wenn man ihren Fühlern zu nahe kommt. Ob diese Häuschen wohl recht schwer sind, die diese Tierchen mit sich herumschleppen? Praktisch sind sie auf alle Fälle, denn die Schnecken sind immer gleich zu Hause, wenn sie auch ausgehen. Im Gegensatz zu unseren drei neugierigen Entlein, die noch nicht wissen, ob sie ihr „zu Hause" überhaupt wieder finden. Aber eins wissen sie, sie müssen einmal aus dem Wald herauskommen, um sich besser umsehen zu können. Über abgebrochene Äste, die der Sturm von den Bäumen gerissen hat, stolpern die drei Entlein nun dem hellen Fleck entgegen und kommen schließlich auf eine Waldwiese. Hier scheint hell die Sonne, und um die herrlich duftenden Blumen summen eifrig die Bienen, um ihren Honig zu sammeln. Zwei junge Häschen, die gerade noch an den saftigen Gräsern geknabbert haben, springen auf und hüpfen in den Wald hinein. Auch unsere drei Entlein, die inzwischen wieder hungrig sind, zupfen an den Gräsern herum, und lassen sich die jungen, saftigen Halme recht gut schmecken. Um alles besser sehen zu können, klettern die drei neugierigen Entlein dann auf einen Baumstumpf, der von einem großen, dicken Baum übrig geblieben ist. Aber oje, als sie oben sind, purzeln sie in ein großes Wasserloch, weil der hohle Baumstumpf mit Regenwasser angefüllt war. Das ist wirklich eine köstliche Überraschung für unsere Entlein. Erst einmal trinken sie soviel, bis das Bäuchlein voll ist, und dann waschen sie sich die blaue Farbe von den Schnäbelchen ab, sodaß sie nun wieder aussehen wie vor dem Heidelbeerschmaus. Dann setzen sie sich auf den Rand und betrachten die Gegend. Die Wiese, auf der sie nun Ausschau halten, ist nur auf einer Seite mit Wald umgeben, aus dem sie vorhin herausgekommen sind. Auf der anderen Seite sehen sie einen kleinen Berg vor sich, auf dem nur wenig Bäume wachsen, zwischen denen da und dort blanke Felsen hervorgucken. Nun überlegen sie, daß es wohl am Gescheitesten ist, auf diesen Berg hinaufzuklettern, von wo aus man weit ins Land hineinblicken kann. Vielleicht würden sie dann auch ihr Bauernhaus entdecken, um zu wissen, in welche Richtung sie gehen müssen, um endlich wieder nach Hause zu kommen. So setzen sie auch gleich ihre Wanderung fort und gehen auf den Berg zu. Nachdem sie ein Stück gegangen sind, kommen sie zu einem Hochstand, auf den eine hohe Leiter hinauf führt. Was es da oben wohl zu sehen gibt, denken die drei Entlein und schon packt sie wieder die Neugierde. Schwups hüpfen sie von einer Leitersprosse auf die andere, bis sie schließlich oben sind. Aber mit dieser unerfreulichen Überraschung haben sie nicht gerechnet, als sie hier oben einen Jäger auf der Bank sitzen sehen, der gemütlich seine Pfeife raucht. Dieser macht kugelrunde Augen, wie er die drei Entlein sieht und greift schnell nach seinem Schießgewehr. Nun überlegt er, was er mit den drei Entlein anfangen soll, die schnell in

eine Ecke geflücht sind. Nein, denkt er sich, erschießen werde ich sie nicht, sie sind ja noch so klein, ich werde sie mit nach Hause nehmen und gut füttern, bis sie groß sind. Ja, das beste Futter sollen sie bekommen, bis sie schön dick und fett sind, dann laß ich mir den saftigen, knusprigen Entenbraten recht gut schmecken. So steckt er auch gleich die drei Entlein, welche vor Angst zittern, in seinen Rucksack, um sie nach Hause zu tragen. Aber als er ein Stück gegangen ist, spürt er plötzlich etwas Nasses auf seinem Rücken. Nichts Gutes ahnend, stellt er den Rucksack auf den Boden, um nachzusehen, was dies wohl ist. Kaum aber hat er den Rucksack geöffnet, springen die drei Entlein heraus und laufen so schnell sie nur können, in das nahe Gebüsch. Dort ducken sie sich unter das hohe Gras und bleiben mucksmäuschenstill hocken, damit der Jäger sie nicht entdeckt. Der aber hat inzwischen seinen Rucksack untersucht und fürchterlich zu schimpfen angefangen. „Diese schnatternde Bagage hat mir den ganzen Rucksack vollgeschwatzt, und jetzt sind sie abgehauen. Statt einen Entenbraten bring ich jetzt einen Haufen Dreck nach Hause". Aber er sucht nicht länger nach den Entlein, denn er hofft im Geheimen, daß er noch einen Hasen schießen wird, dann gibts halt eben einen Hasenbraten, und er geht weiter. Die drei Entlein aber bleiben noch eine Weile in ihrem Versteck hocken, damit sie bloß dem Jäger nicht mehr begegnen. Jetzt sind sie heilfroh, daß sie sich aus dieser verzwickten Lage so schnell befreien konnten, und machen sich nun allerhand Gedanken darüber. Wie schön hatten sie sich doch in ihrer Phantasie diese Wanderung vorgestellt, hier draußen in der großen, weiten Welt. Daß aber so manch böses Erlebnis auf sie zukommt, davon hatten sie natürlich keine Ahnung. Jetzt hilft aber das ganz Jammern nichts, sie müssen weiterwandern, um hoffentlich bald wieder nach Hause zu kommen. So gehen sie wieder weiter auf den Berg zu, den sie vor sich sehen. Als sie dort ankommen, probieren sie gleich das Hinaufklettern, was aber nicht recht gelingen will, denn ihre patschigen Entenfüßlein sind wohl für das Schwimmen gut ausgerüstet, für Klettertouren aber sind sie wenig geeignet. Immer wieder rutschen sie ab, und finden erst nach längerem Herumirren ein kleines Wegerl, das im Zickzackkurs auf den Berg hinaufführt. Bei dieser Bergwanderung sind sie tüchtig ins Schwitzen gekommen, denn das Bergsteigen sind sie auch garnicht gewöhnt. Ja, was man schon alles in Kauf nehmen muß, wenn man eben so neugierig ist, wie unsere drei kleinen Entlein. Immer wieder müssen sie rasten und verschnaufen, bis es wieder weiter bergan geht. Endlich sind sie oben angekommen, und legen sich erst einmal in den Schatten einer großen Eiche, um sich etwas auszuruhn. Nach einer kurzen Rast genießen sie erst einmal den herrlichen Ausblick, den man von hier oben hat. Rings unter ihnen sind Wälder sowie große Wiesen und Felder zu sehen, hinter denen auf einem Hang verstreut, viele Bauernhäuser stehen. Auch wenn sie in die andere Richtung schauen, stehen dort drüben viele Häuser und nun wissen sie erst wieder nicht, welches davon das Ihrige ist. Es ist schon zum Verzweifeln, jetzt haben sie sich so sehr geplagt, um auf den Berg hinauf zu kommen, und hier oben kennen sie sich erst wieder nicht aus, in welche Richtung sie nach Hause gehen müssen. Traurig lassen sie ihre Köpfchen hängen und fangen an zu jammern. Schnatter di bum, schauen uns um

— kennen uns nicht aus, wo sind wir zu Haus? Mit ihren tränenfeuchten Äuglein gehen sie nun noch ein Stück weiter. Was ist denn da vorne für ein schöner, blanker Felsen, der so hell in der Sonne glänzt, daß es fast blendet? Und schon laufen sie voller Neugierde auf ihn zu. Aber oh weh, kaum haben sie den steilen Felsen betreten, sind sie auch schon ausgerutscht, und weil sie nirgends einen Halt fin-

den können, sind sie über den ganzen Berg hinuntergesaust und unten im Tal kopfüber in ein Bächlein geplumpst. Da haben sie aber Glück gehabt, daß sie ins weiche Wasser fielen und nicht auf dem harten Boden aufschlugen. Jetzt ist ihnen gleich viel wohler zu Mute, denn schwimmen können sie ja ausgezeichnet. Obwohl sie nicht wissen, wohin das eilig dahinrauschende Bächlein sie nun trägt, lassen sie sich davontreiben. Jetzt brauchen sie gar nicht rudern um vorwärts zu kommen, wie daheim im kleinen Teich, sondern das Bächlein trägt sie auf seinem Rücken immer weiter fort. Fröhlich schnatternd schwimmen sie nun mit dem Bächlein durch Wiesen und Wälder dahin und kommen manchmal in einen Wasserwirbel, der sie lustig im Kreise herumdreht, und fröhlich singen sie dann: „Schnatter die bum, im Kreise herum, schwimmen wir drei, froh ringelreihn."
Aber recht lange hat diese fröhliche Reise nicht gedauert, denn auf einmal wird das muntere Bächlein immer ruhiger und breiter und schließlich fließt es in einen großen, stillen See hinein. Da gucken aber die drei Entlein ganz erstaunt drein, als sie das viele Wasser sehen und schwimmen voll Begeisterung in den See hinaus. Hier können sie nach Herzenslust tauchen und herumrudern, ohne gleich wieder an den Rand zu stoßen, wie daheim in ihrem kleinen Teich. Nur manchmal müssen sie einem Boot ausweichen, denn der heiße, schwüle Sommertag hat viele Leute zum Schwimmen und Bootfahren auf den See hinausgelockt.
So sind auch Kathrinchen und ihr großer Bruder mit den Fahrrädern zum See gekommen, um sich hier in einem Boot, das sie gemietet haben, dahin schaukeln zu lassen. Plötzlich horcht Kathrinchen auf, „ist da nicht ein lustiges Entengeschnatter zu hören?" Tatsächlich, ganz in der Nähe schwimmen ja drei kleine Entlein, und die beiden Geschwister rudern schnell zu ihnen heran. Ist das eine freudige Überraschung, als Kathrinchen nun sieht, daß es Grünschnäbelchen, Gelbschnäbelchen und Weißschnäbelchen sind. Diese drei Ausreißer hat sie doch schon überall gesucht, aber daß sie die drei Entlein hier auf dem See finden würde, hat sie sich nicht träumen lassen. Aber wie sind sie nur hierher gekommen, so weit weg von zu Hause? Kathrinchen kann ja auch nicht ahnen, welch abenteuerliche Wanderung die drei Entlein hinter sich haben, ehe sie auf dem See hier gelandet sind. Nun lockt Kathrinchen die drei Entlein zum Ufer hin, und diese sind ihr zutraulich gefolgt. Als sie aus dem Boot gestiegen ist, holt sie ihren Jausenkorb, hebt die drei Entlein aus dem Wasser und setzt sie in den Korb hinein. Es ist noch etwas Brot übriggeblieben, welches Kathrinchen zerkrümelt und den Entlein hinstreut, die recht gierig danach schnappen. Dann befestigt sie den Korb mit den drei Entlein auf dem Gepäckträger ihres Fahrrades und fährt mit ihnen nach Hause. Was haben unsere Entlein für eine riesige Freude, weil sie jetzt auch noch eine Radtour machen dürfen, und nicht selber nach Hause laufen müssen. Wahrscheinlich hätten sie alleine auch garnicht den Heimweg gefunden. So

aber sind sie bald alle zusammen unversehrt zu Hause angekommen, und unsere drei neugierigen Entenkinder sind recht froh, daß ihre große Wanderung so glücklich geendet hat. Ihre Entenmutter führt mit lautem Geschnatter einen freudigen Ententanz auf, als sie ihre drei vermißten Kinder wieder sieht, und steckt sie dann schnell unter ihre großen, breiten Flügel, wo sie sich wieder glücklich und

geborgen fühlen, und felsenfest versprechen die drei, in Zukunft nie mehr so neugierig zu sein und alleine auf Wanderschaft zu gehn, sondern nur in Mutters schützender Begleitung.

Schnatter di bum — die Neugier ging um, wir sind wieder zu Haus, und die Geschichte ist aus.